EMMA

Série « Un autre regard »

LA CHARGE
ÉMOTIONNELLE

et autres trucs invisibles

Mise en pages : Romain Dumas

1

C'est pas bien, mais...

Quand j'étais en cours élémentaire, je ne mangeais pas à la cantine, mais chez une nourrice qui m'accueillait le midi avec quelques-uns de mes camarades.

Bon appétit les enfants !

Un jour en arrivant, nous sommes tombés sur son frère qui venait lui rendre visite.

Dites bonjour à mon frère, les enfants.

En vrai, je ne suis pas sûre qu'elle ait eu une coupe aussi affreuse, mais je ne l'aimais pas beaucoup parce qu'elle racontait plein de ragots et qu'elle me forçait toujours à finir mes épinards.

Bon jour.

Il a tout de suite plu à mes camarades car il faisait des blagues tout le temps.

Moi, il aimait bien « m'embêter ».

Il me mettait très mal à l'aise, mais je n'osais rien dire.

Au moment de repartir, il s'est penché sur moi pour m'embrasser, avec son haleine de pastis.

Sur le chemin du retour, j'avais très mal au ventre et le sentiment aigu que ce qui s'était passé n'était pas **normal**.

Mais... j'étais visiblement la seule.

Vraiment la seule. Car le lendemain...

Mon frère était bien triste de partir, il voulait te revoir !

Il m'a dit qu'il t'avait embêtée... C'est qu'il adore les petites filles !

Et voilà comment, à 8 ans, une adulte nous a appris qu'il était **normal** qu'un homme taquine les filles, surtout s'il les aime bien...

... et que même sans rien faire, rien qu'en étant mignonne, j'avais un peu provoqué la situation.

Ce mythe est très présent dans notre société : les hommes ne sauraient pas se contrôler, et pour éviter les «problèmes», ça serait donc aux femmes d'être moins attirantes.

Ça s'appelle la **culture du viol**.

Mes camarades ont grandi dans cette culture.
En cours moyen, certains d'entre eux jouaient
à nous courir après pour soulever nos jupes.

Rien de mal, après tout,
les adultes en font même des chansons.

On en fait
beaucouuuup
Se pencher tordre
son couuuuu

Pouuur
ce jeu de dupe
voir sous les jupes
des fiiiilles

Au collège, ils se sont mis à dégrafer nos soutiens-gorges en cours.

Et au lycée, ils ont commencé à nous toucher les fesses ou à nous embrasser par surprise.

J'ai eu ma première expérience sexuelle à 18 ans. Mon partenaire avait un comportement abusif,

mais j'avais tellement intégré que c'était comme ça que je ne me suis pas vraiment défendue.

On savait que forcer quelqu'un était mal,
mais on nous avait dit aussi que ceux qui faisaient ça,

Agresseur
sexuel
reconnu
comme tel

c'étaient des inconnus.
Forcément moches, forcément violents et
cachés dans des parkings ou des ruelles sombres.

Mon copain n'était ni un inconnu, ni moche, ni violent.
C'était un mec lambda, avec des tendances abusives,

J'ai pas
envie !

Mais moi j'ai envie !
Et tu veux qu'on reste
ensemble, non ?

qui a grandi dans une culture l'encourageant à les exercer.

En discutant avec mes copines, j'ai réalisé que la majorité d'entre nous avions vécu des expériences similaires.

J'ai compris que pour lutter contre la culture du viol, il ne suffisait pas de faire la chasse aux violeurs de parking. Il fallait aussi discuter avec **les hommes de nos vies**: nos frères, nos amis, nos pères, nos partenaires...

... et leur apprendre à rechercher non pas le sexe à tout prix, mais du sexe **clairement et librement consenti.**

Mais quand j'en parlais, j'avais toujours droit
à la même réaction.

Même s'ils admettaient, à un moment ou un autre de leur vie,
s'être passés du consentement éclairé de leur partenaire...
ce n'était pas ça le plus important.

Le plus important pour eux était de ne pas
être mis dans la case «agresseur».

Pourtant, qu'il s'agisse de culpabiliser sa partenaire jusqu'à ce qu'elle cède...

... de profiter de l'ivresse d'une amie pour abuser d'elle...

... ou d'employer la force...

... c'est la même idée qui est à l'œuvre:

le consentement des femmes en matière de sexualité importe peu. Ce qui est important, c'est d'obtenir du sexe.

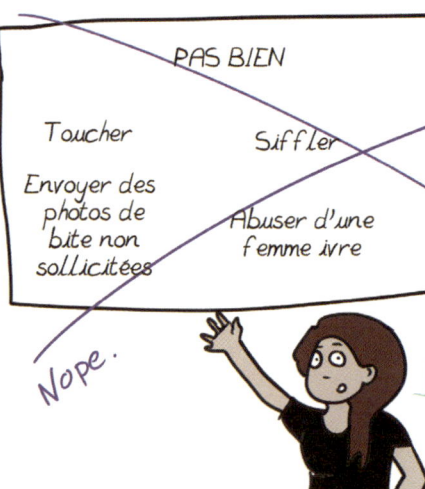

PAS BIEN		CRIME
Toucher	Siffler	Violer sous la menace d'une arme
Envoyer des photos de bite non sollicitées	Abuser d'une femme ivre	

Nope.

Les violences sexuelles, ce n'est pas un ensemble d'actes « pas bien mais passe encore » qui deviendraient soudain un crime, quand on les commet sur une inconnue ou avec un couteau.

VIOLENCES SEXUELLES		
Toucher	Siffler	Violer sous la menace d'une arme
Envoyer des photos de bite non sollicitées	Abuser d'une femme ivre	

C'est un **continuum**. Un ensemble de comportements abusifs, encouragés par la culture du viol, de degrés divers, **mais consistant tous à se passer de consentement.**

Ils ne sont pas tous illégaux, mais ils sont tous à proscrire !

Alors, est-ce qu'on a vraiment envie

de ça

et de ça

pour nos enfants ?

Moi non.
Donc qu'est-ce qu'on fait ?

Eh bien, déjà,
on accepte tou.te.s de
se remettre en cause
et de s'interroger sur
nos comportements
sexuels.

Nous, féministes, donnons
depuis bien longtemps
des pistes pour amorcer
ce changement culturel.

Et on passe de
la culture du viol
à la culture
du consentement.

Mais l'idée que promouvoir le consentement nuirait aux rapports de séduction est encore bien ancrée.

On pourra plus draguer sans aller en prison !

Les hommes n'oseront même plus prendre l'ascenseur seuls avec une femme !

Et où est le mystère, dans tout çaaaa ?

C'est donc tout un tas de mythes et de conditionnements qu'on doit déconstruire !

Sur l'image médiatique des femmes et des hommes, qui encourage ces comportements.

Sur la différence entre agression et séduction, qui n'est pas du tout floue, contrairement à ce que certains se plaisent à dire.

Et surtout, sur la façon dont on éduque les enfants.

La seule condition pour faire changer ça, c'est d'être nombreux·ses à le vouloir.

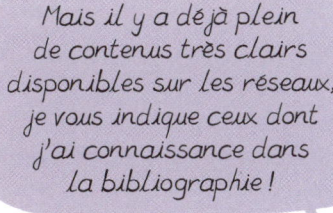

J'aborderai ces thèmes dans une prochaine BD, car il y a beaucoup à dire.

Mais il y a déjà plein de contenus très clairs disponibles sur les réseaux, je vous indique ceux dont j'ai connaissance dans la bibliographie !

Dans l'espoir que nos enfants, eux, n'aient jamais à dire « me too ».

Emma.

2

Un rôle à remplir

Mais pourquoi ?

Vous n'avez pas pu le rater,
en octobre 2017, des millions de femmes
se sont rebellées contre le harcèlement
et les violences sexuelles qu'elles
subissent au quotidien.

Beaucoup d'hommes sont tombés des nues.
Dans mon entourage, ils ont commencé à écouter
nos récits et nos idées pour que ça change.

C'est vraiment comme ça tout le temps ??

Mais oui !
Ça fait dix ans
que je te le dis !

Mais ça n'a pas été comme ça partout.
Assez vite, une forme de «résistance» s'est mise en place.
Des hommes, tristement soutenus par quelques femmes,
ont commencé à se plaindre.

Ce qui se passe
est horrible !

On ne va plus
pouvoir draguer !
C'est la fin
des relations
hommes-femmes !

Il est au passage intéressant de constater que les femmes
qui défendent ce droit au harcèlement sont très aisées,
et que ce sont les hommes de leur classe qu'elles soutiennent.

Oui au harcèlement, **s'il est mondain.**
Et pour la solidarité avec les autres femmes, on repassera.

Bon, je ne m'attarde pas sur ce qui peut se passer dans la tête
de ces gens pour pouvoir comparer le fait d'être harcelée
ou agressée, et celui de ne pas trouver de partenaire sexuelle.

Je crois que ça en dit assez long en soi.

Mais leur crainte repose sur un faux choix :
car aborder une personne sans la harceler, c'est possible.
Il suffit de demander et respecter son avis.

Bonsoir, je peux m'asseoir avec vous ?

Oui allez-y.

Si la personne ne répond pas...

... ou refuse de discuter...

Je préfère pas, non.

... on laisse tomber !
Même si ce n'est pas agréable et qu'on est vexé.

Bon tant pis, bonne soirée.

Bonne soirée !

Eh oui !
Car contrairement
au harcèlement, un
rapport de séduction,
ça se construit
à deux !

Et c'est bien le refus
de cela qui se cache
derrière les lamentations
de ces messieurs.

Que les femmes revendiquent
le droit de pouvoir décliner
des avances, ils n'aiment
pas ça, mais alors,
pas du tout !

Il faut dire que depuis toutes petites, on nous prépare
à remplir ce rôle.

On affuble les bébés filles
d'accessoires décoratifs...

... et plus tard, de tenues
visant avant tout à les
rendre jolies.

J'me
vengerai...

Comme tu es jolie !
Une vraie petite
princesse !

On les habitue très tôt à recevoir des commentaires
sur leur physique et leurs tenues.

Impossible en grandissant d'échapper
aux injonctions de rendre notre corps conforme
aux critères de beauté du moment.

Tout nous conditionne à penser que le rôle des femmes
est avant tout de donner envie aux hommes de les séduire.

Pas étonnant alors que, quand nous revendiquons le droit
de choisir **si et quand** nous voulons entrer dans un rapport
de séduction, ça ennuie certains de devoir respecter ça.

Vous nous jugez vraiment
indignes de nous accorder
quelques mots, quelques
minutes de votre temps ?
C'est nous qui devrions
être vexés, et non vous.

Citation réelle extraite d'un
mail envoyé par un lecteur
au webzine «madmoiZelle»,
qui y a répondu dans un article
intitulé «Harcèlement de rue
ou compliment ?»

Et au lieu de lutter contre le harcèlement,
ils vont diriger leur colère vers les femmes qui à leur sens
ne remplissent pas leur rôle, à savoir accepter leurs avances.

À cause de vos trucs féministes, on peut même plus vous aborder !

Mais si on peut !
À condition de nous entendre si on dit «non» !
Et si ça t'ennuie qu'on soit sur la défensive, c'est aux harceleurs qu'il faut en vouloir, pas à nous...

Le pire dans tout ça, c'est que tout en nous voyant
comme des objets à draguer, ces hommes se plaignent aussi
de la passivité des femmes dans les rapports de séduction.

Et puis c'est trop chiant de devoir toujours faire le premier pas !

Alors quand on me dit qu'en luttant contre le harcèlement, les rapports hommes-femmes vont être faussés, j'ai envie de répondre que c'est tout l'inverse !

Cela fait des siècles que les relations femmes-hommes sont faussées. Faussées par notre éducation genrée, faussées par la peur -légitime- que nous avons d'être agressées. Et nous, on lutte pour que ça change.

Personnellement, j'ai beaucoup de mal à comprendre comment on peut avoir envie d'assouvir ses désirs au détriment de l'intégrité d'autrui.

Mais apparemment, ça ne dérange pas tout le monde...

Journal qui fait semblant d'être de gauche

ON PEUT PLUS RIEN DIRE

STOP À LA CENSURE

DOSSIER : ces femmes relou qui se laissent pas draguer #MeToo

« Nous défendons une **liberté d'importuner** »

Emma.

3

L'histoire d'un gardien de la paix

J'ai découvert l'histoire d'Érik l'an dernier
dans une émission de France Culture appelée
«Les Pieds sur Scène».

J'ai tout de suite eu envie d'en faire une BD,
alors j'ai contacté Érik pour lui demander
si on pourrait se rencontrer.

Nous nous sommes retrouvés vers Montparnasse,
et j'étais en avance, comme à mon habitude.

Et Érik m'a raconté son histoire.

à la dure, c'est-à-dire qu'à six mois, lui et ses frères et sœurs étaient jetés à l'eau pour apprendre à nager...

... et qu'en guise d'entraînement, leur père les laissait suspendus à une barre de fer, dans le vide.

Quand il devenait physiquement violent,
leur mère s'opposait à lui, et prenait les coups.

Érik me décrit son père. Bien que brun aux yeux noirs,
il avait une attirance pour les physiques aryens.

Photo mise en scène et
prise par le père d'Érik

De ses fils aînés, il encourageait le blond aux yeux bleus
à tabasser l'autre, brun aux yeux marrons, comme lui.

Érik a 7 ans quand sa mère, pourtant
sans emploi, décide de partir.

Faites vos
valises !

Elle divorce et commence à faire du porte-à-porte
pour vendre des assurances et subvenir à leurs besoins.

Ils déménagent dans un quartier populaire de Marseille,
où ils passent la plupart du temps seuls.
Leur mère est souvent en déplacement.

Avec l'argent qu'elle leur laisse pour manger, ils s'achètent
des bonbons. Puis volent leur nourriture à l'étalage.

Les règles de l'école sont trop strictes pour Érik et sa fratrie. Régulièrement, ils se font exclure pour leur mauvaise conduite.

Vite !

Sa mère n'est au courant de rien : ils imitent les signatures et volent les courriers de l'école dans la boîte aux lettres.

À cette période, ils déménagent beaucoup, dans Marseille, puis à Nice.

Difficile de se fixer dans une école. Érik se fait expulser à plusieurs reprises, puis définitivement avant la fin de la 3ᵉ.

Il part d'abord à Monaco, où il trouve un stage de mécanique auto.

La mécanique, c'est nous. Toi tu fais les vidanges et le nettoyage.

Et tu nous remets tes pourboires.

Mais il n'est pas bien traité, alors il part. Avec le contenu de la boîte à pourboires.

Il passe alors les concours pour devenir
mécanicien avion, dans l'armée.

Il participe à des opérations de sauvetage,
avec une équipe qu'il apprécie.

Mais l'ambiance est trop festive, et à force
d'alcool et de nuits courtes, sa santé se dégrade.
C'est après un malaise pendant un match
avec ses collègues qu'il se résout à partir.

À cette époque, il pèse 56 kg.

Voyant qu'il enchaîne les petits boulots pour survivre,
son beau-frère lui propose une solution.

Erik a eu souvent affaire à la police dans ses phases délinquantes, et il en garde un souvenir respectueux.

Gardien de la paix... C'est vrai que c'est un beau métier.

Ça me plairait bien de protéger les gens.

En 1983, après avoir passé les concours où il est reçu premier, il devient policier. Malgré sa demande d'être affecté en Corse, il se retrouve contraint de débuter à Paris.

Il y rejoint la BAC, gérée par André Le Bars, qui leur impose le strict respect du code de déontologie.

Je vous interdis de suivre un mec parce que vous lui trouvez une sale gueule.

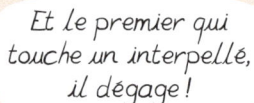

Et le premier qui touche un interpellé, il dégage !

Tout est fait pour que les interpellations se déroulent dans le calme. La majeure partie de leur activité consiste à surveiller et à attendre le bon moment pour intervenir - parfois des journées entières.

Son métier le passionne.

Mais en 1987, sa demande pour la Corse est acceptée, et il doit quitter la BAC. Le rythme n'est pas le même...

Par provocation, il vient travailler en pantoufles, mais personne ne réagit.

Bon, tu peux patrouiller, mais surtout, tu arrêtes personne !

Si tu tombes sur un nationaliste, on est bons pour un mois de violences.

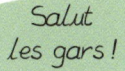

Salut les gars !

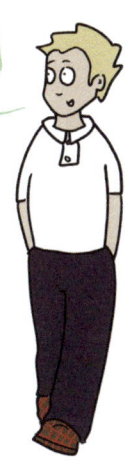

Alors il sèche, et utilise son temps pour débroussailler et rouvrir un court de tennis en friche.

Il finit par convaincre sa femme de repartir sur Paris, où il intègre l'équipe d'intervention de nuit de Paolo.

Paolo est italien, ceinture noire de ju-jitsu, et réputé pour son courage.

Mais Érik déchante vite.

La clé, pour avoir l'air efficace, c'est la radio.

Aussi, si t'es en galère, tu le dis pas à la radio ! Tu demandes des renforts, mais tu dis pas que t'as perdu le contrôle !

Dès que quelqu'un demande une intervention, on répond «On est dessus !»

Et on met les gyros et tout, comme ça on est visibles.

Il découvre que la belle image de l'équipe est une façade.

Les gars, on a nos 30 interpellations du mois !

On peut lever le pied, restez bien sur la radio.

Qui cache des rodéos voiture injustifiés et dangereux...

... des courses-poursuites acharnées et risquées sur les toits...

... des rapports ambigus avec les travailleuses du sexe...

Comment tu me trouves aujourd'hui ?

Toujours aussi sexy Nico !

... et des comportements violents et racistes.

Putain mais quand est-ce qu'on aura l'autorisation de les rafaler à la mitraillette, ces enculés de crouilles ?

Erik tente d'en discuter, sans succès.

Il y a des comportements racistes dans l'équipe, on doit pas laisser passer ça !

Ahahahahah ! Mec si ça te convient pas, tu dégages, c'est tout !

Un soir de patrouille, la radio leur signale une plainte pour exhibitionnisme. Les travailleuses du sexe, sachant que l'équipe était de service, avaient appelé.

Nico, y'a ce type là, il arrête pas de se branler devant nous.

Je vais lui faire la peau !

L'équipe se lance à la poursuite de l'exhibitionniste, sans brassards ni gyrophare. Croyant avoir affaire à des proxénètes, l'homme s'enfuit, complètement paniqué.

Dans sa fuite, il renverse Érik.

L'équipe récupère Érik, et au bout d'une course-poursuite acharnée, finit par mettre son gyrophare. L'agresseur s'arrête immédiatement.

Les policiers s'engouffrent tous en même temps dans la voiture pour l'extraire.

Puis ils le jettent à terre et le frappent.

STOP !!
On l'emmène
au poste !

Une fois au poste, l'OPJ demande à auditionner Érik.

Je voulais confirmer le rapport de vos équipiers.

Il semble que l'interpellé vous ait renversé délibérément, ce qui justifie le recours à la force durant son arrestation.

Hein ? Absolument pas. Ils n'ont respecté aucune procédure, ni gyrophare ni brassard. L'interpellé a cru avoir affaire à des proxénètes, il a paniqué.

D'ailleurs moi-même je n'aurais pas dû me trouver à cet endroit, pour être honnête.

Messieurs, si je note votre version, je vais aussi devoir écrire que vous rouliez sans gyrophare ni brassards !

Ils acceptent de changer leur version, mais l'ambiance est de plus en plus tendue entre Érik et le reste de l'équipe.

Il se décide à faire un rapport à sa hiérarchie, dénonçant des manquements au code de déontologie de ses collègues.

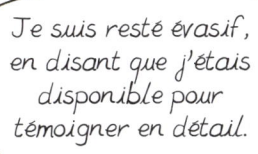

Je suis resté évasif, en disant que j'étais disponible pour témoigner en détail.

Je voulais voir à quelle hiérarchie j'avais affaire.

Et surtout, je voulais qu'il y ait une remise en cause globale de ces comportements, pas qu'on dégage juste cette équipe, pour l'exemple.

Il est convoqué pour une confrontation.

Mmmh.

Quand il arrive, il constate que le directeur du commissariat s'est fait porter pâle, qu'il a été remplacé par un chef de bureau... et que les 3 compères semblent très à l'aise, à discuter depuis un bon moment.

Seule une commissaire, récemment de retour de congé maternité, n'a pas l'air de connivence.

Mais l'équipe est tellement décomplexée que, sans même s'en rendre compte, elle avoue certains faits.

Érik est persuadé que la confrontation aura des suites, jusqu'au jour où il consulte le compte-rendu.

Mais la réaction du directeur n'est pas celle escomptée.

Érik et la commissaire comprennent qu'il est responsable de la falsification du rapport.

*Il est sorti de l'équipe de Paolo et placé à la garde
statique de l'Élysée.*

Je pourrais aussi
bien être un pot
de fleurs.

*Il s'applique alors à démontrer l'absurdité de sa tenue,
en venant aux cours de tir avec ses gants de garde.*

Tire pas avec tes
gants, ça glisse ! Tu vas
tuer quelqu'un !

Oui c'est ce que
j'essaie de
démontrer.

Sa première équipe, la BAC d'André Le Bars,
l'emmène avec elle en cachette de temps en temps.

Sur le papier,
tu seras notre
stagiaire !

Mais le jour d'une arrestation particulièrement remarquée,
son nom est repéré sur un procès-verbal.

Mais qu'est-ce qu'il
fiche en dehors de
l'Élysée, celui-là ?!

... et il se retrouve de nouveau à la garde statique.

Pendant ce temps, il continue de faire des rapports
sur les dérives de ses collègues, en s'adressant de plus
en plus haut dans la hiérarchie, mais sans succès.

Sauf qu'un jour, les gars
de l'équipe, pour se faire
mousser, ils ont dit
à la 1ʳᵉ DPJ* qu'une des
prostituées leur avait
donné une info sur
un braquage qui allait
avoir lieu.

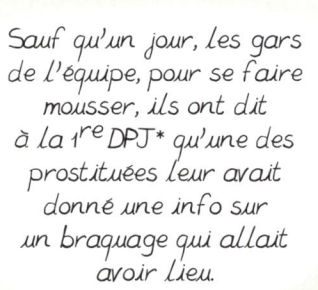

Et l'info était bonne,
sauf que les prostituées,
en vrai, elles donnent
jamais d'infos aux flics.
Ils les emmerdent plus
qu'autre chose.

La DPJ s'est
doutée d'un truc.

*1ʳᵉ Division de Police Judiciaire

La DPJ met Nico sur écoute et sous filature, et constate qu'il est proxénète, qu'il vit avec une des travailleuses du sexe, et qu'il a des comptes cachés en Suisse. La direction se retrouve contrainte de le mettre à pied.

Il est jugé et condamné à un an de prison ferme.

Érik en profite pour exiger des sanctions pour l'ensemble de ces comportements abusifs.

C'est pas une promotion que je veux.

Je veux que le code de déontologie soit appliqué partout, que les violences et le racisme soient sanctionnés comme il se doit.

Vous voulez salir l'image de la police !

Mais non au contraire, je veux la protéger !

En guise de réhabilitation, Érik est affecté au commissariat du 14.ᵉ arrondissement, mais aucune autre mesure n'est prise.

Il y découvre les dégâts provoqués par la « politique du chiffre ».

J'ai reçu une mise en garde pour « activité contraventionnelle trop faible ».

Pourtant j'en ai mis 100 ce mois-ci !

Un soir, un brigadier le prend dans son équipe pour une opération de contrôle routier. L'équipe se place à un carrefour connu pour être mal signalisé et, assez rapidement, un automobiliste confus prend un virage interdit.

Allez on se le fait !

Heureusement que je tombe sur vous...

Je dois aller chercher mon fils à la crèche, mais avec les bouchons, je suis en retard, et je n'ai pas leur numéro de téléphone !

Érik se tourne vers les syndicats existants, mais la politique du chiffre et les violences policières ne les intéressent pas. Leurs dirigeants travaillent surtout à se placer politiquement.

En 1995, avec une vingtaine de collègues,
il crée le Syndicat de la Police Nationale.

Pendant 10 ans, Érik n'a pas mis un seul PV.

Un soir d'octobre 2003, Érik participe
à une opération dite « 78-2 ».

Le 78-2, c'est un truc
très cadré, sous contrôle
du procureur. Ça fait
partie des institutions
républicaines.

En gros, quand dans
un quartier on considère
qu'il y a beaucoup de
délinquance, le procureur
donne l'autorisation à des
policiers de contrôler tout
le monde sans motif
pendant une durée
déterminée.

En théorie, le 78-2 est
déclenché par le procureur,
qui communique ses instructions
au commissaire concerné.

Mais en pratique, ce sont
les commissaires qui
décident seuls d'aller
quadriller un quartier.

Vous allez me faire
un 78-2 à Argenteuil
demain. Je vous
envoie la note.

On part faire
un 78-2 à
Argenteuil.

D'accord,
je vous envoie
la note !

PROCUREUR

Ce soir-là, Érik est accompagné par Mounir, un collègue connu pour être particulièrement violent pendant les contrôles. Il a pour habitude de lester ses mitaines de plomb pour frapper les jeunes en douce.

Mais j'étais en garde à vue il y a une heure ! Pourquoi vous me contrôlez encore ?

Ferme ton clapet plein de merde ! T'es de la merde et moi je suis de la police !

Le contrôle dégénère. Érik finit par intervenir.

Monsieur, vous êtes trop violent, je suis désolé mais un jour il va y avoir un clash, c'est obligé...

Je te préviens, je vais faire un rapport !

J'en ai rien à foutre !

Plus tard, il rédige un rapport pour dénoncer les faits.

Une enquête est ouverte auprès de l'IGS,
mais Mounir n'est pas sanctionné.

Il a même eu des éloges
pour son travail, et a été
muté sur un poste
très demandé.

Moi, j'ai fini
en conseil de
discipline, pour
un prétexte bidon.

Malgré tout, Érik continue de dénoncer consciencieusement
les violences dont il est témoin. Sa hiérarchie n'apprécie pas.

Encore
un rapport de
Blondin !

Je vais me le
faire, celui-là.

Alors elle tente de le faire
partir et monte des dossiers
contre lui. Entre 2001 et 2008,
avec 6 dossiers ouverts, Érik ne
cesse d'être convoqué au tribunal
correctionnel ou en conseil de
discipline. En l'absence de preuves,
il gagne chaque fois, mais les
procédures traînent,
et il fait un burn-out.

Monsieur Blondin, je
vais vous arrêter pour
quelques mois.

Parmi ses collègues, ceux qui le soutiennent subissent aussi des pressions. Les autres lui sont hostiles.

Certains vont jusqu'à inventer de faux témoignages pour aider la hiérarchie à le faire partir.

En 2008, Érik part en retraite, fatigué et malade. Via son avocate, il demande que les procédures en cours contre lui soient menées à terme.

Alors, il abandonne.

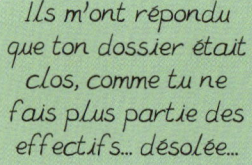

Ils m'ont répondu que ton dossier était clos, comme tu ne fais plus partie des effectifs... désolée...

L'histoire banale de quelqu'un qui voulait vraiment **défendre la paix**.

Épilogue

Aujourd'hui, Érik vit dans les Pyrénées, près de sa fille, et complète sa retraite en faisant du gardiennage de logements de vacances.

À la fin de notre entretien, je lui ai demandé son avis sur l'institution policière.

Et du haut de ton expérience, est-ce que tu penses encore que ce que la hiérarchie attend de vous, c'est que vous protégiez les gens ?

Non, plus du tout bien sûr. J'ai essayé toutes les instances possibles et imaginables pour dénoncer les faits gravissimes dont j'ai été témoin.

Aucune n'a bougé.

Ce truc de protéger les gens, c'est un argument jeté en pâture aux citoyens naïfs que nous sommes. Mais en vrai, ce qu'on demande à un flic, c'est de servir le pouvoir en place, c'est tout.

Il y en a qui espèrent pouvoir bien faire, comme moi à l'époque. Mais ils se cassent les dents.

On pense que la loi est de notre côté, alors qu'on va arriver à améliorer les choses... mais les dés sont pipés. On ne peut rien faire.

Moi, je ne pense pas qu'une «bonne police» puisse exister. Son rôle sera toujours d'empêcher la rébellion face à un pouvoir injuste. Dans un monde juste, où chacun·e aurait accès à des ressources de façon égale, il n'y aurait quasiment pas de criminalité. Les comportements déviants seraient régulés par le contrôle social des pairs, pas par la police.

Mouais. Peut-être qu'on peut se passer de police, même si j'y crois pas trop. En attendant, on peut au moins exiger de celle qui existe les meilleurs comportements possibles...

Emma.

Michelle

J'ai rencontré Michelle pendant mes études, à Troyes.

J'ai tout de suite été touchée par sa gaieté et sa franchise.

Nous avons pris l'habitude de rendez-vous réguliers, durant lesquels elle me parlait de sa vie passée.

J'ai su qu'elle avait grandi à Troyes, et qu'elle avait rencontré D., son mari, à 17 ans.

Et puis à 18 ans, paf, je me retrouve enceinte. Moi je voulais partir de chez moi, alors on s'est mariés.

Wah, c'est tôt.

Michelle a eu 3 enfants, dont elle s'est occupée à plein temps.

D., lui, avait monté une entreprise dans le bâtiment. Elle l'aidait en gérant la partie administrative.

Et pour compléter leurs revenus, elle gardait les enfants du voisinage en même temps que les leurs.

Quand ses enfants sont partis, Michelle a trouvé un poste de caissière à temps partiel dans un supermarché local.

Bon c'était pas déclaré, mais ça permettait de boucler les fins de mois !

Madame Germain, vous avez encore oublié de peser vos légumes !

Malgré ses demandes, elle n'a jamais pu obtenir un temps plein, mais elle s'en sortait comme ça depuis dix ans.

J'étais en dernière année quand D. a quitté Michelle.

Je l'ai soutenu pendant toutes ces années, et maintenant que sa boîte marche, il part avec tout... tu trouves ça normal ?

Au début, elle était prête à tout pour le retenir.

Je sens qu'il hésite ! Ce matin, je lui ai fait une fellation, il en réclamait toujours alors...

Il accepte alors qu'il sait que tu te forces ?

Puis est venue la résignation...

Comment je vais faire toute seule ?

Tout ce que j'ai fait pour son entreprise, c'est lui qui en profite... j'ai droit à rien.

... et enfin, la colère.

Je lui ai fait toute sa compta à l'œil pendant 20 ans et maintenant il me jette comme une vieille chaussette ! De toute façon tu sais quoi, sans moi, il va se planter. Sa minette va le lâcher, mais quand il regrettera ça sera trop tard !

Quelques mois après, elle avait fait le deuil de son mariage.

Le soir, c'est génial ! Je peux me coucher tranquille.

Et je ne repasserai plus jamais de chemises !

J'ai jamais aimé le sexe, mais avec lui, si c'était pas tous les jours, il commençait à râler.

Mais avec son temps partiel,
Michelle peinait à payer son loyer.

Elle a commencé à faire des ménages, le matin avant
d'aller au travail. Mais elle s'est bloqué le dos.

Et au bout de même pas un an, elle s'est résignée.

Michelle a fini par s'installer avec P.
et a retrouvé une situation stable.

Mais elle repasse de nouveau des chemises.

Encore aujourd'hui, de nombreux couples hétérosexuels suivent le même schéma que celui de Michelle. Des couples qui se forment dans l'idée d'un soutien mutuel...

Vous vous engagez à contribuer aux charges du ménage en fonction de vos revenus respectifs.

... mais qui assez rapidement, tombent dans une répartition très genrée des responsabilités.

L'homme travaille à plein temps à l'extérieur, représentant le principal apport financier du ménage. Il effectue, pour un employeur ou à son propre compte, ce qu'on appelle un **travail productif.**

La femme met sa carrière en retrait, souvent avec un temps partiel, pour gérer les tâches ménagères et parentales. C'est ce qu'on appelle le **travail reproductif.**

À première vue, ça peut paraître
comme un arrangement plutôt juste.

Chacun sa part, sauf que...

... le travail productif donne
droit à un salaire, un statut
social, et à la retraite...

... tandis que le travail
reproductif, lui, est
invisible et **gratuit**.

Avec ce mode de fonctionnement, c'est un peu comme si l'homme avait à la maison une employée **bénévole**, qui gère son foyer et sa famille en échange d'un soutien matériel. Mais cet argent n'est pas à elle **et ne lui donne droit à aucune assurance**: ni maladie, ni chômage, ni retraite.

Bonsoir !

Bonsoir chéri ! Je viens de coucher les enfants.

Tu leur fais un bisou et tu viens manger ?

Rohlala mais ta vision du couple est horrible ! Et l'amour dans tout ça ?

Bien sûr qu'il y a de l'amour dans tous ces couples ! Mais ça n'a pas de rapport avec les tâches ménagères.

C'est un gros piège tendu aux femmes que de leur dire: « Si tu ne fais pas ce travail gratuitement, si tu ne te sacrifies pas pour moi, c'est que tu ne m'aimes pas. »

Un piège qui bénéficie... aux hommes, même s'ils n'en sont pas toujours conscients ! Car ils peuvent, eux, profiter de ce temps pour se construire une situation financière confortable.

Tout ça crée une relation de dépendance dans les couples, et ça fausse les raisons pour lesquelles on reste ensemble. Ça serait plus sain que chacun·e soit indépendant·e financièrement, non ?

Cette répartition entre travail productif et reproductif, elle ne fonctionne que tant que le couple tient.

Or on le sait aujourd'hui, toutes les relations ne sont pas éternelles.

Du coup beaucoup de femmes qui ont pris des temps partiels ou des congés parentaux se retrouvent bien démunies après une séparation.

Je suis restée à la maison pour tout gérer pendant qu'il montait son entreprise. Et puis il est parti... J'ai trouvé un temps partiel, mais je vis avec 700 euros par mois.

Après mes études de médecine, j'ai eu 4 enfants, alors je n'ai jamais exercé. Je sais qu'il voit quelqu'un, mais je ne dis rien. S'il s'en va, je ne vais pas m'en sortir.

J'ai fait des petits boulots, mais la carrière, c'était lui. Je ne cotiserai jamais assez pour avoir une retraite correcte... J'ai décidé de le quitter, mais je vais devoir continuer de travailler jusqu'à ce que je n'y arrive plus.

D'après l'INSEE, en 2010, les femmes séparées voyaient leurs revenus baisser de 14,5 % tandis que pour les hommes, ils augmentaient de 3 %. **Et ces données tiennent compte des pensions versées.**

Désolée les enfants, mais après le déménagement vous allez devoir partager la même chambre !

QUOI ???

Quant à la retraite, celle des femmes est en moyenne de 26% inférieure à celle des hommes, **là encore en tenant compte des pensions...** sans lesquelles l'écart monte à 40%.

On est bien en retraite, hein !

Je vous dirai ça dans dix ans...

Pour défendre l'idée de relations saines, basées sur des sentiments réciproques, il faut équilibrer cette situation.

Ce n'est valorisant pour personne de rester en couple par besoin, ou par sens du devoir.

Les mouvements féministes réfléchissent depuis bien longtemps à des moyens de mettre fin au travail gratuit des femmes.

Je vous propose un aperçu rapide et sommaire des principaux courants et de leurs représentantes. Les textes que vous allez lire ne sont pas des citations exactes, mais des résumés de mon cru !

Les féministes de droite, malheureusement les plus médiatisées, considèrent que c'est par le travail salarié, hors du foyer, que les femmes peuvent s'émanciper - sans questionner les conditions dans lesquelles il est effectué.

La vie professionnelle est essentielle dans la vie des femmes !

Si vous vous arrêtez de travailler, vous prenez un risque considérable au vu de la situation économique actuelle.

Élisabeth Badinter

Alors oui, avoir un emploi permet d'avoir son propre salaire. Mais ce n'est pas suffisant...

Car on l'a vu avec la charge mentale, avoir un travail salarié ne décharge pas les femmes du travail au foyer. Soit elles le font **en plus,** soit elles le **délèguent :** en recrutant une nounou, une femme de ménage, en faisant livrer les courses de la famille, voire les repas.

Oui bonsoir, est-ce que vous pourriez rester une heure de plus ce soir ? J'ai du travail à finir...

Ces tâches, ce sont quand même elles qui les gèrent.

Et ce travail délégué, ce sont d'autres personnes qui vont l'effectuer, pour de bas salaires.

Cette solution ne fait que transférer l'exploitation des femmes aisées à des personnes précaires.

Certaines féministes dénoncent l'hypocrisie de ce féminisme néolibéral, dont l'agenda se retrouve parfois à converger avec les idées d'extrême droite, selon lesquelles seul l'homme immigré opprime les femmes.

Les pays pauvres fournissent de plus en plus de «nounous» et de domestiques aux pays riches.

On impose à ces femmes immigrées de «s'intégrer» à la culture occidentale, qui serait plus respectueuse des droits des femmes, tout en leur faisant faire les tâches dont les femmes blanches souhaitent s'émanciper.

On a vu des féministes néolibérales soutenir l'interdiction du voile, en dépeignant les femmes musulmanes comme des victimes passives qui ont besoin d'être sauvées et émancipées... tout en leur faisant faire leur ménage et garder leurs enfants.

Sara Farris

De plus, avoir un revenu, oui, mais dans quelles conditions ? Le travail salarié n'est pas émancipateur de façon égale pour toutes les femmes.

Élisabeth Badinter, héritière et première actionnaire du groupe Publicis, 13ᵉ fortune de France avec 652 millions d'euros.

Que faire aujourd'hui... déjeuner au Fouquet's ou continuer mon article sur le voile islamique qui opprime les femmes ?

Une salariée d'ONET en CDD à temps partiel, pour 600 euros par mois.

Les féministes anticapitalistes, elles, tiennent compte de ces différences de classe dans leurs analyses sur la condition des femmes.

Elles cherchent des solutions pour atteindre l'égalité au foyer, mais aussi dans les autres formes de travail.

Le but étant de partager les tâches reproductives, mais aussi les moyens de production - en gros, les usines - en remettant en cause le rapport patron / salarié.

Dans les années 70, le mouvement féministe « Wages for Housework » proposait que les femmes soient payées par l'État pour le travail ménager. L'objectif était stratégique : émanciper les femmes sur le terrain qu'elles ont toujours occupé – le foyer – et faire ainsi trembler les bases du système capitaliste.

Ce n'est pas se libérer que de quitter la cuisine pour une chaîne de montage.

Nous ne devons pas réclamer un travail salarié, mais un salaire pour ce que nous faisons déjà : le travail ménager. Car c'est nous qui faisons tenir le monde debout. Nous ne devons pas le voir comme une aliénation mais comme un pouvoir.

Le capitalisme repose sur la gratuité de notre activité. La rendre coûteuse permettra d'attaquer le système à la racine.

Silvia Federici

Proposition qui, pour d'autres, présente le risque de nous confiner encore plus dans cette sphère.

Oui, le travail salarié est souvent brutal, aliénant et ennuyeux. Mais le travail domestique aussi ! Payer les femmes ne changerait rien à l'ennui qu'elles ressentent à effectuer les tâches domestiques.

Les femmes noires, elles, savent ce que c'est d'être payées pour le travail domestique. Elles l'ont fait pendant des décennies pour d'autres femmes, forcées pour cela de négliger leur propre foyer et leurs enfants.

En obtenant des boulots à l'extérieur, nous pourrons nous solidariser, femmes et hommes, et lutter ensemble contre le capitalisme pour un système socialiste. Libéré·e·s de l'obligation de « rentabilité », nous automatiserons les tâches les plus pénibles.

Angela Davis

Lutter contre le capitalisme, oui ; mais sur son propre terrain.

Bon, j'ai beaucoup parlé des femmes, du travail, des usines...

Car contrairement à ce que j'entends souvent, ça ne bouge pas ! Depuis les années 80, le temps quotidien de tâches ménagères pour les hommes a augmenté de... 6 minutes.

Mais à un moment il va bien falloir aborder la question... des hommes ! Et de pourquoi ils continuent d'éviter le travail ménager.

Pourquoi ? Est-ce parce que leur travail salarié ne leur en laisse pas le temps ?

Les statistiques françaises montrent que non : car les hommes **célibataires salariés** trouvent le temps de faire le ménage. **C'est quand ils se mettent en couple** qu'ils arrêtent.

Tiens.

Quand un couple hétérosexuel s'installe ensemble, le temps de travail ménager de l'homme est divisé par deux...

... et augmente d'une heure par jour pour la femme.

En plus de la question du temps de travail, il semble donc que les stéréotypes, les rôles genrés dans lesquels filles et garçons sont projetés très tôt, incitent les hommes en couple à se reposer sur leurs compagnes pour les tâches ménagères... et ces dernières, à accepter la situation.

Notre éducation genrée met en place une **division sexuelle du travail** : les hommes s'investissent pleinement dans leur carrière tandis que les femmes travaillent gratuitement pour eux. Un « arrangement » qui, d'après certaines féministes, serait encouragé par les subventions de l'État.

On injecte très tôt chez les enfants une identité de genre indissociable de leur personne : on **est** une fille ou un garçon. Des qualités sont associées à ces identités respectives. Le rangement, le soin sont présentés comme « naturels » chez les petites filles. Il serait donc normal qu'on le fasse gratuitement.

Et des avantages comme la 2e part fiscale, la double couverture sociale pour les hommes qui ont une conjointe au foyer, encouragent cette division sexuelle du travail.

Christine Delphy

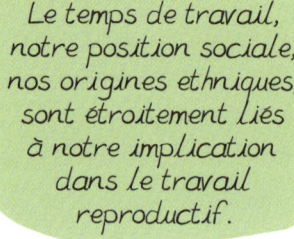

Ces thèses montrent que la question est beaucoup plus large que celle du travail domestique seul.

Le temps de travail, notre position sociale, nos origines ethniques, sont étroitement liés à notre implication dans le travail reproductif.

Le système dans lequel nous vivons nous place face à des choix impossibles : prendre en charge les tâches parentales et ménagères, au prix de notre autonomie, ou nous investir professionnellement, en négligeant nos foyers, ou en les confiant à d'autres personnes en échange de maigres salaires.

Notre société peut mieux faire !

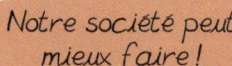

Toutes ces tâches reproductives, elles ne doivent ni reposer sur des femmes au foyer, ni sur d'autres qui, n'ayant pas toujours le choix, acceptent de le faire, même dans de mauvaises conditions.

Elles doivent reposer sur la collectivité : être partagées par toutes et tous, indépendamment de notre genre, notre couleur de peau ou notre qualification professionnelle. Chacun devrait y participer. Bien sûr, cela demande une implication sérieuse des hommes dans ces tâches, mais aussi une réflexion sur l'organisation du travail dans son ensemble, pour que tout le monde trouve le temps nécessaire.

Vous l'aurez compris, on est face à un problème complexe, qui prend ses racines dans plusieurs millénaires de domination des femmes, et qui suscite des réflexions et débats animés.

J'aimerais que les solutions soient simples et immédiates, mais je ne crois pas que ces inégalités puissent se régler au cas par cas, en trois séances chez le psy !

Ce qu'il faut, c'est trouver des solutions pérennes, structurelles, qui changent la vie des femmes partout dans le monde.

L'une d'entre elles pourrait être le **salaire à vie** : on ne travaillerait plus pour gagner de l'argent car nos revenus seraient garantis à vie. On pourrait alors toute·s contribuer au fonctionnement de notre communauté, à la hauteur de nos capacités.

Mais ces solutions, on doit toute·s participer à les trouver et à les mettre en place.

Déjà en refusant la dépendance et la précarité dans lesquelles ces inégalités nous placent.

En se rencontrant, en discutant entre nous, en échangeant nos témoignages.

Et oui, faire ça, c'est déjà faire de la politique, c'est prendre en main notre cadre de vie. On pourra former des collectifs, des associations, des mouvements ou que sais-je encore. Et là enfin, on pourra peut-être commencer à parler d'égalité.

Emma.

5

Le pouvoir
de
l'amour

Vous vous souvenez sûrement de cette collègue chez qui j'étais allée dîner, et qui s'était disputée avec son conjoint.

Comment ça qu'est-ce que j'ai fait ? J'ai TOUT fait !

Ce soir-là, elle avait claqué la porte et nous avait laissés seuls.

CLAC

Désolé, elle est super tendue en ce moment. Ça doit être à cause du boulot.

À cause du boulot ? Bon... je vais y aller aussi.

Sur le moment, j'ai préféré ne pas m'en mêler.

Mais le lendemain, on en a rediscuté et j'ai fini par donner mon avis.

Il ne se rend pas compte de tout ce que tu fais. Tu as déjà essayé de rentrer tard pour qu'il soit obligé de s'occuper des garçons ? Il comprendrait peut-être.

Oui j'ai essayé... avant j'allais à la danse le mardi, mais quand je rentrais, il était de super mauvaise humeur et faisait la gueule. Alors j'ai laissé tomber.

... et ce, aux dépens de la sienne.

Mais du coup c'est toi qui es de mauvaise humeur ?

Oui mais moi ça va, la plupart du temps, j'arrive à rester sympa.

J'ai réalisé qu'en plus de gérer la majorité des tâches, elle prenait soin d'épargner l'humeur de son conjoint...

À l'époque, sa réponse m'avait sidérée.

Mais avec les années, en observant et en discutant avec mes amies, j'ai constaté que nous étions nombreuses à nous sentir responsables du confort émotionnel de notre entourage.

> Oh, ils en font au beurre de cacahuète ! Je vais en prendre pour Rémy, ça lui fera une surprise en rentrant du boulot.

Moi la première.

> Bon on a bien mérité une ou deux bières !

> Nah, je vais rentrer. Je suis déjà sortie hier et R est crevé, je vais l'aider à gérer le monstre.

Et qu'assez souvent, ça impliquait pour nous d'empiéter sur notre propre zone de confort émotionnel.

Ah mon petit, vous êtes ravissante dans cette robe !

Euh... merci Jean-René.

Si je lui dis que c'est inapproprié, il va se vexer...

Arlie Russell Hochschild est sociologue et a beaucoup étudié la façon dont nous modulons l'expression de nos émotions en fonction des attentes d'autrui, notamment dans un cadre professionnel. Elle lui a donné le nom de **travail émotionnel**.

Aujourd'hui, de plus en plus de métiers impliquent d'interagir avec la clientèle. Cela nécessite des compétences émotionnelles.

Les employé·e·s se retrouvent à manipuler leurs propres émotions, du moins en apparence, pour coller à l'attitude attendue d'eux·elles par l'employeur.

L'exemple le plus cité est celui des hôtesses de l'air,
qui doivent rester souriantes même face à un client
détestable ou à un enfant exaspérant.

Face à un·e usager·ère, le travail émotionnel est attendu
des employé·e·s, indépendamment de leur genre.

Mais on constate assez vite que les femmes, elles, gèrent le confort émotionnel de leur entourage bien au-delà de l'interaction employé - usager.

Et ça ne s'arrête pas à la porte du bureau.

Car en prenant en charge
la santé de nos conjoints...

Je fais un gratin de
fenouil, ça va aider pour
tes problèmes digestifs.

... à leur place...

Ah super, parce que j'ai
mangé une choucroute au
boulot à midi, j'ai un peu
mal au ventre !

... en gérant les liens
familiaux, même quand
ce ne sont pas les nôtres...

... en anticipant leurs
moindres besoins, avant même
qu'ils ne soient formulés...

Maman Arthur

Bonjour, peux-tu dire
à Arthur d'appeler
son père pour
organiser leur
semaine à la pêche ?
Venez vous nous voir
aux prochaines
vacances ?

D'accord je lui dis.
Et oui je viens de
prendre les
billets !

Je t'ai racheté des
caleçons en solde,
j'ai vu que t'en
avais plein de
troués !

... nous devenons, progressivement, leurs mères et leurs infirmières, plus que leurs partenaires.

J'entends souvent des hommes se plaindre du manque de libido de leur partenaire. Mais quoi de plus normal, quand le lien d'égale à égal, se mue en lien de mère à enfant ?

D'autant que si le travail émotionnel des femmes
ne s'arrête pas à la sortie du bureau, il ne cesse pas
non plus à l'entrée de la chambre.

Car la sexualité hétérosexuelle est, encore aujourd'hui,
rythmée en priorité par le plaisir et l'orgasme masculins.

Traditionnellement, le sexe s'arrête donc quand
ce dernier est atteint, indépendamment
de la satisfaction de la partenaire.

Selon une étude menée par
L'IFOP en 2015, 49% des femmes
françaises peinent à atteindre
l'orgasme durant un rapport.

Et le travail ne s'arrête pas là, puisque de nombreuses femmes prennent soin, malgré la frustration, de rassurer leur partenaire sur ses performances sexuelles

soit en inventant un orgasme qui n'a pas eu lieu

soit en minimisant leur frustration.

C'était bien ? Je t'ai fait jouir ?

Oui oui !

Non mais c'est pas grave, le plus important c'est de te sentir en moi.

BULLSHIT ALERT !

L'homme doit jouir... ET croire qu'il a fait jouir.

Toujours d'après l'IFOP, 30% des femmes françaises simulent l'orgasme régulièrement.

Etre attentive en permanence aux besoins d'autrui représente, pour les femmes une **charge émotionnelle** continue - et invisible.

Tu as l'air soucieux...

Je n'aurais pas dû sortir hier soir... il est fatigué.

Je dois appeler ma mère...

J'ai oublié le cadeau pour la dent du petit !

Car en plus de l'attention et du temps
que nous donnons, cette charge nous oblige à décrypter
en permanence les réactions et les émotions
de notre entourage pour pouvoir nous y adapter.

Alors bien sûr, se soucier des autres, être empathique,
c'est plutôt une bonne chose. Sauf que l'effort émotionnel
fourni est souvent à sens unique.

Et, comme beaucoup de tâches culturellement féminines,
il n'est pas toujours apprécié et reconnu à sa juste valeur.

Je me souviens de mon collègue D, qui se plaignait
tout le temps des messages que sa femme lui envoyait
quand il était au boulot.

En réalité, la femme de D. faisait bien plus qu'envoyer des photos de robes - qu'elle n'avait d'ailleurs peut-être même pas l'intention d'acheter.

Ouais, c'est vrai.

Bah t'aimes bien, non, quand elle porte une jolie robe ? Et puis c'est surtout pour discuter qu'elle fait ça.

Ce qu'elle faisait avant tout, c'était maintenir la communication dans son couple, au-delà des soirées série ou de la logistique parentale.

Elle faisait, comme beaucoup d'autres femmes, ce travail considéré comme futile et superficiel d'huiler les rouages des interactions sociales - de maintenir le lien qui nous permet de vivre ensemble.

T'as répondu à l'invitation de ton collègue ?

Bah non, on peut pas y aller.

Tu as un cadeau de naissance pour ta soeur ?

Nan, mais elle a besoin de rien...

Ce qui compte, ce ne sont ni les réponses aux invitations, ni les cadeaux - c'est le fait d'y avoir pensé.

Anna G. Jonasdottir est une politologue islandaise spécialisée dans l'étude de l'amour. Son analyse des relations hétérosexuelles pourrait être résumée ainsi :

Le sentiment d'amour est essentiel pour l'être humain, c'est ce qui lui permet de se sentir exister.

Dans les couples hétérosexuels, les femmes expriment leur amour en prenant soin de l'autre, tout en sacrifiant leurs propres besoins.

L'homme se nourrit de cette relation pour prendre sa place dans le monde extérieur, plutôt que de retourner à sa partenaire une attention réciproque.

Ce transfert d'énergie, elle le nomme **pouvoir de l'amour**.

Loin d'être superflu, le travail émotionnel est en réalité ce qui permet à l'être humain de trouver l'énergie pour entreprendre, créer, s'imposer dans la sphère publique.

Je tiens à remercier ma femme qui m'a toujours soutenu, même dans les moments les plus difficiles...

Homme recevant un prix scientifique quelconque tandis que sa femme plie ses chaussettes à la maison

En être les fournisseuses en permanence nous coûte du temps, de l'énergie, que nous ne consacrons pas à nos projets personnels.

J'ai une réunion ce soir, tu peux récupérer les gosses ?

Ce job est tellement important pour lui...

D'accord... je vais m'arranger...

Dans sa BD «Les sentiments du Prince Charles», l'autrice Liv Strömquist dresse un palmarès des hommes célèbres qui se sont appuyés sur l'amour des femmes de leur entourage pour réussir leurs projets.

Engrosse sa servante et la charge de s'occuper de sa femme malade.

Fait toutes ses recherches avec sa femme, puis la quitte pour sa cousine et ne la crédite dans aucun de ses travaux.

Femme qui participera à la rédaction du Manifeste du Parti Communiste, mais ne sera jamais créditée.

Karl Marx
Snif :(

Albert Einstein

Ainsi que des femmes qui ont soigné et soutenu jusqu'au bout leurs conjoints vieillissants...

Mary, j'ai une idée brillante ! Apporte-moi une plume et du papier ! Et un seau pour cracher mon mucus !

Tout de suite mon amour !

... l'inverse étant beaucoup plus rare.

Ernest ! J'ai une idée b...

Déso Mary, j'me casse chercher quelqu'un qui pourra soutenir mon art !

Et aujourd'hui ? Eh bien, d'après une étude menée aux États-Unis de 2015 à 2017 sur des patient·e·s atteint·e·s de cancer, les femmes malades étaient quittées dans 20,8 % des cas, contre seulement 2,9 % pour les hommes.

Madame Roger, on a l'air en forme aujourd... oh.

Désolé, je dois trouver quelqu'un qui prendra soin de moi quand je serai vieux.

Pourtant, les hommes aussi gagneraient à une meilleure répartition du travail émotionnel : car ils peinent à se débrouiller sans le soutien social et ménager de leurs conjointes. Ainsi on constate que chez les hommes veufs, la surmortalité, notamment due à l'isolement social, est supérieure à celle des femmes.

Comment ça s'ouvre ce machin ?

Bon, puisque c'est pourri pour tout le monde, il faudrait que ça change ! Alors, qu'est-ce qu'on fait ?

Je vois déjà venir les « y'a qu'à lâcher prise » et « personne ne vous demande de faire tout ça ».

Sauf que, l'exemple des hommes veufs le montre, « tout ça » est en fait ce qui nous permet de nous sentir humains, de créer, d'entreprendre, et même de rester vivants !

Et puis avons-nous vraiment envie d'un monde sans empathie, où personne n'a d'attentions, de petits gestes, pour son entourage ?

C'est facile de dire que c'est inutile, quand on en profite au quotidien. On ne s'en rend même pas compte !

Ça me saoule quand elle me réclame des fleurs ! Ou quand elle veut qu'on mange à table pour «discuter» au lieu de regarder une série...

Bière préférée, mise à l'avance au frigo

T-shirt acheté en solde parce que les autres étaient troués

Huile essentielle contre les allergies de printemps

Mais je connais des tas de femmes qui, elles, rêveraient de recevoir des soins, des petites attentions, ou même juste un peu d'écoute... sauf que pour ça, elles payent... en allant chez l'esthéticienne ou chez le coiffeur, par exemple.

Je vous masse le cuir chevelu ?

Oui s'il-vous-plaît...

Non, ce qu'il faut, c'est mieux répartir le travail émotionnel.

Qu'il soit effectué par tout le monde, indépendamment de notre genre.

Pour notre génération, c'est compliqué, parce qu'on a des dizaines d'années de conditionnement derrière nous !

Pour moi, c'est mission impossible de voir quelqu'un dans le besoin, et de ne pas réagir.

Han regarde ce pauvre pigeon à une patte... Tu crois pas qu'on pourrait...

Non.

Mais juste quelques...

Non.

Et honnêtement, je suis plutôt fière d'être comme ça. Même si c'est pas toujours facile.

RROU.

S'intéresser aux autres, leur faire plaisir, les soutenir quand c'est nécessaire...

Bien sûr, il ne faut pas pour autant mettre en retrait ses propres besoins. Et pour ça, il faut que ça soit réciproque.

C'est plutôt chouette !

À mon avis, c'est avant tout aux hommes de faire l'effort d'investir cette sphère émotionnelle. En étant plus à l'écoute, plus empathiques. En tentant de comprendre et de satisfaire, eux aussi, les besoins de leur entourage.

Alors oui, nous, femmes, devons apprendre à formuler nos besoins, à dire aussi quand quelque chose nous dérange. Mais ça ne suffira pas à faire bouger les choses.

Ça ferait une société meilleure, non ?

Emma.

Bibliographie

 **C'est pas bien, mais...**
page 3

« Comment lutter contre le viol »,
du blog Crêpe Georgette

« De la banalité des violences sexuelles »,
du blog Crêpe Georgette

« Les hommes sont-ils tous
des violeurs ? », du blog Crêpe Georgette

Vidéo « Et des porcs furent balancés »,
de la chaîne Ouvrez les guillemets,
par Usul

Vidéo « Le consentement expliqué
par une tasse de thé »

 Un rôle à remplir
page 19

Article « J'ai mis des petits lapins »,
du blog Projets Crocodiles

Tutoriel de « Paye Ta Schneck », sur la
différence entre drague et harcèlement

« Harcèlement de rue ou compliment ?
Je veux comprendre », du webzine
madmoiZelle

 **L'histoire d'un gardien
de la paix**
page 29

Ouvrage « Journal d'un gardien de la
paix », aux éditions La Fabrique

Épisode « Dans la police » de l'émission
Les Pieds sur Scène de France Culture

Michelle
page 67

Étude statistique de l'INSEE
« Les variations de niveau de vie des
hommes et des femmes à la suite d'un
divorce ou d'une rupture de Pacs »,
par Carole Bonnet, Bertrand Garbinti,
Anne Solaz, publiée en 2015

Étude statistique de l'INSEE
« Les écarts de pension entre les femmes
et les hommes : un état des lieux
en Europe », par Marco Geraci et Anne
Lavigne, publiée en 2017

Étude statistique de l'INSEE
« Les retraites des femmes nettement
inférieures à celles des hommes »,
par Erwan Auger, Thomas Ducharne,
Sophie Villaume, Insee parue en 2017

Ouvrage « Le conflit » d'Élisabeth
Badinter

Article du site Contretemps
« Les fondements politico-économiques
du fémonationalisme », par Sara Farris

Article du site Contretemps
« Au nom des droits des femmes ?
Fémonationalisme et néolibéralisme »,
par Sara Farris

Ouvrage de Sara Farris « In the
name of women's rights : the rise
of femonationalism », publié par Duke
University Press Books

Ouvrage « Caliban et la Sorcière »,
de Silvia Federici, aux éditions
Entremonde

Ouvrage « Women, race and class »,
aux éditions Vintage Books

Article « Le "travail ménager", son "partage inégal" et comment le combattre », par Christine Delphy, sur le site Les Mots Sont Importants

Ouvrage « L'Ennemi principal », de Christine Delphy, aux éditions Syllepse

Le pouvoir de l'amour
page 99

Interview d'Arlie Russell Hochschild « Emotional labor around the world : An interview with Arlie Hochschild », sur le site Global Dialogue

Ouvrage « Le prix des sentiments : Au cœur du travail émotionnel », d'Arlie Russell Hochschild, aux éditions La Découverte

Sondage IFOP « Les Françaises et l'orgasme », 2015

Ouvrage « Love power and political interests : towards a theory of patriarchy in contemporary western societies », de Anna G. Jónasdóttir

Ouvrage « Why women are oppressed », de Anna G. Jónasdóttir

Ouvrage « Les sentiments du prince Charles », de Liv Strömquist

Étude statistique « Sexual functioning among young adult cancer patients : A 2-year longitudinal study », par Chiara Acquati, pour la revue Cancer

Article « Le veuvage et après », par Christine Guilbault, sur le portail CAIRN

Article « Why women are tired : The price of unpaid emotional labor », de Christine Hutchison, sur le site Huffington Post

Article « "Women are just better at this stuff" : is emotional labor feminism's next frontier ? », de Rose Hackman, sur le site TheGuardian

Thread sur le Travail Emotionnel sur le site The Toast

Article « L'impuissance comme idéal de beauté des femmes – le sourire », par Noémie Renard, sur le site Antisexisme

Achevé d'imprimer en Espagne
par Novoprint en décembre 2021

Dépôt légal : septembre 2019
EAN 9782290214282
L21EDDN001084A004

ÉDITIONS J'AI LU
87, quai Panhard-et-Levassor, 75013 Paris
Diffusion France et étranger : Flammarion